VERL

Femmes
suivi de
Hombres

Avec une postface de
Laurence Fey et Chloé Radiguet

Illustrations de
Piercarlo Foddis-Boï

ÉDITIONS MILLE ET UNE NUITS

VERLAINE
n° 62

Texte intégral

© Éditions Mille et une nuits, mai 1995
pour la postface et les illustrations.
ISBN : 2-910233-86-3

Sommaire

VERLAINE

Femmes
suivi de
Hombres

Femmes

Ouverture

Je veux m'abstraire vers vos cuisses et vos fesses,
Putains, du seul vrai Dieu seules prêtresses vraies,
Beautés mûres ou non, novices ou professes,
Ô ne vivre plus qu'en vos fentes et vos raies !

Vos pieds sont merveilleux, qui ne vont qu'à l'amant,
Ne reviennent qu'avec l'amant, n'ont de répit
Qu'au lit pendant l'amour, puis flattent gentiment
Ceux de l'amant qui las et soufflant se tapit,

Pressés, fleurés, baisés, léchés depuis les plantes
Jusqu'aux orteils sucés les uns après les autres,
Jusqu'aux chevilles, jusqu'aux lacs des veines lentes,
Pieds plus beaux que des pieds de héros et d'apôtres !

J'aime fort votre bouche et ses jeux gracieux,
Ceux de la langue et des lèvres et ceux des dents
Mordillant notre langue et parfois même mieux,
Truc presque aussi gentil que de mettre dedans ;

Et vos seins, double mont d'orgueil et de luxure
Entre quels mon orgueil viril parfois se guinde
Pour s'y gonfler à l'aise et s'y frotter la hure :
Tel un sanglier ès vaux du Parnasse et du Pinde.

Vos bras, j'adore aussi vos bras si beaux, si blancs,
Tendres et durs, dodus, nerveux quand faut et beaux
Et blancs comme vos culs et presque aussi troublants,
Chauds dans l'amour, après frais comme des tombeaux.

Et les mains au bout de ces bras, que je les gobe !
La caresse et la paresse les ont bénies,
Rameneuses du gland transi qui se dérobe,
Branleuses aux sollicitudes infinies ?

Mais quoi ? Tout ce n'est rien, Putains,
                               [aux prix de vos
Culs et cons dont la vue et le goût et l'odeur
Et le toucher font des élus de vos dévots,
Tabernacles et Saints des Saints de l'impudeur.

C'est pourquoi, mes sœurs, vers vos cuisses
                               [et vos fesses
Je veux m'abstraire tout, seules compagnes vraies,
Beautés mûres ou non, novices ou professes,
Et ne vivre plus qu'en vos fentes et vos raies.

I

À CELLE QUE L'ON DIT FROIDE

Tu n'es pas la plus amoureuse
De celles qui m'ont pris ma chair ;
Tu n'es pas la plus savoureuse
De mes femmes de l'autre hiver.

Mais je t'adore tout de même !
D'ailleurs ton corps doux et bénin
A tout, dans son calme suprême,
De si grassement féminin,

De si voluptueux sans phrase,
Depuis les pieds longtemps baisés
Jusqu'à ces yeux clairs purs d'extase,
Mais que bien et mieux apaisés !

Depuis les jambes et les cuisses
Jeunettes sous la jeune peau,
À travers ton odeur d'éclisses
Et d'écrevisses fraîches, beau,

Mignon, discret, doux petit Chose
À peine ombré d'un or fluet,
T'ouvrant en une apothéose
À mon désir rauque et muet,

Jusqu'aux jolis tétins d'infante,
De miss à peine en puberté,
Jusqu'à ta gorge triomphante
Dans sa gracile vénusté,

Jusqu'à ces épaules luisantes,
Jusqu'à la bouche, jusqu'au front
Naïfs aux mines innocentes
Qu'au fond les faits démentiront,

Jusqu'aux cheveux courts bouclés comme
Les cheveux d'un joli garçon,
Mais dont le flot nous charme, en somme,
Parmi leur apprêt sans façon.

En passant par la lente échine
Dodue à plaisir, jusques au
Cul somptueux, blancheur divine,
Rondeurs dignes de ton ciseau,

Mol Canova ! jusqu'aux cuisses
Qu'il sied de saluer encor,
Jusqu'aux mollets, fermes délices,
Jusqu'aux talons de rose et d'or !

Nos nœuds furent incoercibles ?
Non, mais eurent leur attrait leur.
Nos feux se trouvèrent terribles ?
Non, mais donnèrent leur chaleur.

Quant au Point, Froide ? Non pas, Fraîche.
Je dis que notre « sérieux »
Fut surtout, et je m'en pourlèche,
Une masturbation mieux,

Bien qu'aussi bien les prévenances
Sussent te préparer sans plus,
Comme l'on dit, d'inconvenances,
Pensionnaire qui me plus.

Et je te garde entre mes femmes
Du regret non sans quelque espoir
De quand peut-être nous aimâmes
Et de sans doute nous ravoir.

II

PARTIE CARRÉE

Chute des reins, chute du rêve enfantin d'être sage,
    Fesses, trône adoré de l'impudeur,
Fesses, dont la blancheur divinise encor la rondeur,
Triomphe de la chair mieux que celui par le visage !

Seins, double mont d'azur et de lait aux deux cimes
                                    [brunes,
    Commandant quel vallon, quel bois sacré !
Seins, dont les bouts charmants sont un fruit vivant,
                                    [savouré
Par la langue et la bouche ivres de ces bonnes fortunes !

11

Fesses, et leur ravin mignard d'ombre rose un peu sombre
    Où rode le désir devenu fou,
Chers oreillers, coussin au pli profond pour la face ou
Le sexe, et frais repos des mains après ces tours
                      [sans nombre !

Seins, fins régals des mains qu'ils gorgent de délices,
    Seins lourds, puissants, un brin fiers et moqueurs,
Dandinés, balancés, et, se sentant forts et vainqueurs,
Vers nos prosternements comme regardant en coulisse !

Fesses, les grandes sœurs des seins vraiment,
                  [mais plus nature
    Plus bonhomme, sourieuses aussi
Mais sans malices trop et qui s'abstiennent du souci
De dominer, étant belles pour toute dictature !

Mais quoi ? Vous quatre, bons tyrans, despotes doux
                        [et justes,
    Vous impériales et vous princiers
Qui courbez le vulgaire et sacrez vos initiés
Gloire et louange à vous, Seins très saints, Fesses
                      [très augustes !

III

TRIOLETS À UNE VERTU, POUR S'EXCUSER DU PEU

À la grosseur du sentiment
Ne va pas mesurer ma force,
Je ne prétends aucunement
À la grosseur du sentiment.
Toi, serre le mien bontément
Entre ton arbre et ton écorce.
À la grosseur du sentiment
Ne va pas mesurer ma force.

La qualité vaut mieux, dit-on,
Que la quantité, fût-ce énorme.
Vive un gourmet, fi du glouton !
La qualité vaut mieux, dit-on.
Allons, sois gentille et que ton
Goût à ton désir se conforme.
La qualité vaut mieux, dit-on,
Que la quantité, fût-ce énorme.

Petit poisson deviendra grand
Pourvu que L'on* lui prête vie.
Sois ce L'on-là : sur ce garant
Petit poisson deviendra grand,

* Voir aux *Fables de La Fontaine*, édition du Conseil municipal de Paris.

Prête-*la* moi, je te *le* rend-
Rai gaillard et digne d'envie.
Petit poisson deviendra grand
Pourvu que L'on lui prête vie.

Mon cas se rit de ton orgueil,
Étant fier et de grand courage.
Tu peux bien en faire ton deuil.
Mon cas se rit de ton orgueil
Comme du chat qui n'a qu'un œil,
Et le voue au « dernier outrage ».
Mon cas se rit de ton orgueil
Étant fier et de grand courage.

Tout de même et sans trop de temps
C'est fait. *Sat prata*. L'ordre règne.
Sabre au clair et tambours battants
Tout de même et sans trop de temps !
Bien que pourtant, bien que contents
Mon cas pleure et ton orgueil saigne.
Tout de même et sans trop de temps
C'est fait. *Sat prata*. L'ordre règne !

IV

GOÛTS ROYAUX

Louis Quinze aimait peu les parfums. Je l'imite
Et je leur acquiesce en la juste limite.
Ni flacons, s'il vous plaît, ni sachets en amour !
Mais, ô qu'un air naïf et piquant flotte autour
D'un corps, pourvu que l'art de m'exciter s'y trouve :
Et mon désir chérit et ma science approuve
Dans la chair convoitée, à chaque nudité
L'odeur de la vaillance et de la puberté
Ou le relent très bon des belles femmes mûres.
Même j'adore – tais, morale, tes murmures –
Comment dirais-je ? ces fumets, qu'on tient secrets,
Du sexe et des entours, des avant comme après
La divine accolade et pendant la caresse,
Quelle qu'elle puisse être, ou doive, ou le paraisse.
Puis, quand sur l'oreiller mon odorat lassé,
Comme les autres sens, du plaisir ressassé,
Somnole et que mes yeux meurent vers un visage
S'éteignant presque aussi, souvenir et présage,
De l'entrelacement des jambes et des bras,
Des pieds doux se baisant dans la moiteur des draps,
De cette langueur mieux voluptueuse monte
Un goût d'humanité qui ne va pas sans honte,
Mais si bon, mais si bon qu'on croirait en manger !
Dès lors, voudrais-je encor du poison étranger,

D'une flagrance prise à la plante, à la bête
Qui vous tourne le cœur et vous brûle la tête,
Puisque j'ai, pour magnifier la volupté,
Proprement la quintessence de la beauté ?

V

FILLES

Bonne simple fille des rues
Combien te préféré-je aux grues

Qui nous encombrent le trottoir
De leur traîne, mon décrottoir,

Poseuses et bêtes poupées
Rien que de chiffons occupées

Ou de courses et de paris
Fléaux déchaînés sur Paris !

Toi, tu m'es un vrai camarade
Qui la nuit monterait en grade

Et même dans les draps câlins
Garderait des airs masculins,

Amante à la bonne franquette
L'amie à travers la coquette

Qu'il te faut bien être un petit
Pour agacer mon appétit.

Oui, tu possèdes des manières
Si farceusement garçonnières

Qu'on croit presque faire un péché
(Pardonné puisqu'il est caché),

Sinon que t'as les fesses blanches
De frais bras ronds et d'amples hanches

Et remplaces ce que n'as pas
Par tant d'orthodoxes appas.

T'es un copain tant t'es bonne âme,
Tant t'es toujours tout feu, tout flamme

S'il s'agit d'obliger les gens
Fût-ce avec tes pauvres argents

Jusqu'à doubler ta rude ouvrage
Jusqu'à mettre du linge en gage !

Comme nous t'as eu des malheurs
Et tes larmes valent nos pleurs

Et tes pleurs mêlés à nos larmes
Ont leurs salaces et leurs charmes,

Et de cette pitié que tu
Nous portes sort une vertu.

T'es un frère qu'est une dame
Et qu'est pour le moment ma femme…

Bon ! puis dormons jusqu'à potron-
Minette, en boule, et ron, ron, ron !

Serre-toi, que je m'acoquine
Le ventre au bas de ton échine.

Mes genoux emboîtant les tiens,
Tes pieds de gosse entre les miens.

Roule ton cul sous ta chemise,
Mais laisse ma main que j'ai mise

Au chaud sous ton gentil tapis.
Là ! nous voilà cois, bien tapis.

Ce n'est pas la paix, c'est la trêve.
Tu dors ? Oui. Pas de mauvais rêve.

Et je somnole en gais frissons,
Le nez pâmé sur tes frissons.

———————

Et toi, tu me chausses aussi,
Malgré ta manière un peu rude
Qui n'est pas celle d'une prude
Mais d'un virago réussi.

Oui, tu me bottes, quoique tu
Gargarises dans ta voix d'homme
Toutes les gammes de rogome,
Buveuse à coudes rabattus !

Ma femme ! sacré nom de Dieu !
À nous faire perdre la tête,
Nous foutre tout le reste en fête
Et, nom de Dieu, le sang en feu.

Ton corps dresse, sous le reps noir,
Sans qu'assurément tu nous triches,
Une paire de nénais riches,
Souples, durs, excitante, faut voir !

Et moule un ventre jusqu'au bas,
Entre deux friands hauts-de-cuisse,
Qui parle de sauce et d'épice
Pour quel poisson de quel repas !

Tes bas blancs – et je t'applaudis
De n'arlequiner point tes formes –
Nous font ouvrir des yeux énormes
Sur des mollets que rebondis !

Ton visage de brune où les
Traces de robustes fatigues
Marquent clairement que tu brigues
Surtout le choc des mieux râblés,

Ton regard ficelle et gobeur
Qui sait se mouiller puis qui mouille,
Où toute la godaille grouille
Sans reproche, ô non ! mais sans peur,

Toute ta figure – des pieds
Cambrés vers toutes les étreintes
Aux traits crépis, aux mèches teintes,
Par nos longs baisers épiés –

Ravigote les roquentins
Et les ci-devant jeunes hommes
Que voilà bientôt que nous sommes
Nous électrise en vieux pantins,

Fait de nous de vrais bacheliers
Empressés auprès de ta croupe,
Humant la chair comme une soupe,
Prêts à râler sous tes souliers !

Tu nous mets bientôt à quia
Mais, patiente avec nos restes,
Les accommode, mots et gestes,
En ragoûts où de tout il y a.

Et puis, quoique mauvaise au fond
Tu nous as de ces indulgences !
Toi, si teigne entre les engeances
Tu fais tant que les choses vont.

Tu nous gobes (ou nous le dis)
Non de te satisfaire, ô goule !
Mais de nous tenir à la coule
D'au moins les trucs les plus gentils.

Ces devoirs nous les déchargeons,
Parce qu'au fond tu nous violes
Quitte à te fiche de nos fioles
Avec de plus jeunes cochons.

VI

À Madame***

Quand tu m'enserres de tes cuisses
La tête ou les cuisses, gorgeant
Ma gueule des bathes délices
De ton jeune foutre astringent,

Ou mordant d'un con à la taille
Juste de tel passe-partout
Mon vit point très gros, mais canaille
Depuis les couilles jusqu'au bout,

Dans la pinette et la minette
Tu tords ton cul d'une façon
Qui n'est pas d'une femme honnête ;
Et, nom de Dieu, t'as bien raison !

Tu me fais des langues fourrées,
Quand nous baisons, d'une longueur
Et d'une ardeur démesurées
Qui me vont, merde ! au droit du cœur.

Et ton con exprime ma pine
Comme un ours tetterait un pis,
Ours bien léché, toison rupine,
Que la mienne a pour fier tapis.

Ours bien léché, gourmande et soûle
Ma langue ici peut l'attester
Qui fit à ton clitoris boule-
De-gomme à ne le plus compter.

Bien léché, oui, mais âpre en diable,
Ton con joli, taquin, coquin,
Qui rit rouge sur fond de sable :
Telles les lèvres d'Arlequin.

VII

VAS UNGUENTATUM

Admire la brèche moirée
Et le ton rose-blanc qu'y met
La trace encor de mon entrée
Au paradis de Mahomet.

Vois, avec un plaisir d'artiste,
Ô mon vieux regard fatigué
D'ordinaire à bon droit si triste,
Ce spectacle opulent et gai,

Dans un mol écrin de peluche
Noire aux reflets de cuivre roux
Qui serpente comme une ruche,
D'un bijou, le dieu des bijoux,

Palpitant de sève et de vie
Et vers l'extase de l'amant
Essorant la senteur ravie,
On dirait, à chaque élément.

Surtout contemple, et puis respire,
Et finalement baise encor
Et toujours la gemme en délire,
Le rubis qui rit, fleur du for

Intérieur, tout petit frère
Épris de l'autre et le baisant
Aussi souvent qu'il le peut faire
Comme lui soufflant à présent…

Mais repose-toi, car tu flambes.
Aussi, lui, comment s'apaiser
Cuisses et ventre, seins et jambes
Qui ne cessez de l'embraser ?

Hélas ! voici que son ivresse
Me gagne et s'en vient embrasser
Toute ma chair qui se redresse…
Allons, c'est à recommencer !

VIII

IDYLLE HIGH-LIFE

La galopine
À pleine main
Branle la pine
Au beau gamin.

L'heureux potac
Décalotté
Jouit et crache
De tout côté.

L'enfant rieuse
À voir ce lait
Et curieuse
De ce qu'il est,

Hume une goutte
Au bord du pis,
Puis dame ! en route,
Ma foi, tant pis !

Pourlèche et baise
Le joli bout
Plus ne biaise
Pompe le tout !

Petit vicomte
De Je-ne-sais,
Point ne raconte
Trop ce succès,

Fleur d'élégances,
Oaristys
De tes vacances
Quatre-vingt-dix :

Ces algarades
Dans les châteaux,
Tes camarades,
Même lourdeaux,

Pourraient sans peine
T'en raconter
À la douzaine
Sans inventer ;

Et les cousines,
Anges déchus,
De ces cuisines
Et de ces jus

Sont coutumières,
Pauvres trognons,
Dès leurs premières
Communions :

Ce, jeunes frères,
En attendant
Leurs adultères
Vous impendant.

IX

TABLEAU POPULAIRE

L'apprenti point trop maigrelet, quinze ans, pas beau.
Gentil dans sa rudesse un peu molle, la peau
Mate, l'œil vif et creux, sort de sa cotte bleue,
Fringante et raide au point, sa déjà grosse queue
Et pine la patronne, une grosse encor bien,

Pâmée au bord du lit dans quel maintien vaurien,
Jambes en l'air et seins au clair, avec un geste !
À voir le gars serrer les fesses sous sa veste
Et les fréquents pas en avant que ses pieds font,
Il appert qu'il n'a pas peur de planter profond
Ni d'enceinter la bonne dame qui s'en fiche.
(Son cocu n'est-il pas là, confiant et riche ?)
Aussi bien, arrivée au suprême moment
Elle s'écrie en un subit ravissement :
« Tu m'as fait un enfant, je le sens, et t'en aime
D'autant plus. » – « Et voilà les bonbons du baptême ! »
Dit-elle, après la chose ; et, tendre, à croppetons,
Lui soupèse et pelote et baise les roustons.

X

BILLET À LILY

Ma petite compatriote,
M'est avis que veniez ce soir
Frapper à ma porte et me voir.
Ô la scandaleuse ribote
De gros baisers et de petits
Conforme à mes gros appétits !
Mais les vôtres sont-ils si mièvres ?
Primo, je baiserai vos lèvres,
Toutes, c'est mon cher entremets,
Et les manières que j'y mets,
Comme en toutes choses vécues,

Sont friandes et convaincues !
Vous passerez vos doigts jolis
Dans ma flave barbe d'apôtre,
Et je caresserai la vôtre.
Et sur votre gorge de lys,
Où mes ardeurs mettront des roses,
Je poserai ma bouche en feu.
Mes bras se piqueront au jeu,
Pâmés autour des bonnes choses
De dessous la taille et plus bas
Puis mes mains non sans fols combats
Avec vos mains mal courroucées
Flatteront de tendres fessées
Ce beau derrière qu'étreindra
Tout l'effort qui lors bandera
Ma gravité vers votre centre.
À mon tour je frappe. Ô dis : Entre !

XI

POUR RITA

J'abomine une femme maigre.
Pourtant je t'adore, ô Rita,
Avec tes lèvres un peu nègre
Où la luxure s'empâta,

Avec tes noirs cheveux, obscènes
À force d'être beaux ainsi

Et tes yeux où ce sont des scènes
Sentant, parole ! le roussi,

Tant leur feu sombre et gai quand même
D'une si lubrique gaîté
Éclaire de grâce suprême
Dans la pire impudicité,

Regard flûtant au virtuose
Es-pratiques dont on se tait :
« Quoi que tu te proposes, ose
Tout ce que ton cul te dictait » ;

Et sur ta taille comme d'homme,
Fine et très fine cependant,
Ton buste, perplexe Sodome
Entreprenant puis hésitant,

Car dans l'étoffe trop tendue
De tes corsages corrupteurs
Tes petits seins durs de statue
Disent : « Homme ou femme ? » aux bandeurs,

Mais tes jambes, que féminines
Leur grâce grasse vers le haut
Jusques aux fesses que devine
Mon désir, jamais en défaut,

Dans les plis cochons de ta robe
Qu'un art salop sut disposer

Pour montrer plus qu'il ne dérobe
Un ventre où le mien se poser !

Bref, tout ton être ne respire
Que faims et soifs et passions…
Or je me crois encore pire :
Faudrait que nous comparassions.

Allons, vite au lit, mon infante,
Ça, livrons-nous jusqu'au matin
Une bataille triomphante
À qui sera le plus putain.

XII

AU BAL

Un rêve de cuisses de femmes
Ayant pour ciel et pour plafond
Les culs et les cons de ces dames
Très beaux, qui viennent et qui vont

Dans un ballon de jupes gaies
Sur des airs gentils et cochons ;
Et les culs vous ont de ces raies,
Et les cons vous ont de ces manchons !

Des bas blancs sur quels mollets fermes
Si rieurs et si bandatifs

Avec, en haut, sans fins ni termes
Ce train d'appas en pendentifs,

Et des bottines bien cambrées
Moulant des pieds grands juste assez
Mènent des danses mesurées
En pas vifs comme un peu lassés.

Une sueur particulière
Sentant à la fois bon et pas
Foutre et mouille, et trouduculière
Et haut de cuisse, et bas de bas,

Flotte et vire, joyeuse et molle
Mêlée à des parfums de peau
À nous rendre la tête folle
Que les youtres ont sans chapeau.

Notez combien bonne ma place
Se trouve dans ce bal charmant :
Je suis par terre, et ma surface
Semble propice apparemment

Aux appétissantes danseuses
Qui veulent bien, on dirait pour
Telles intentions farceuses
Tournoyer sur moi quand mon tour,

Ce, par un extraordinaire
Privilège en elles ou moi,

Sans me faire mal, au contraire
Car l'aimable, le doux émoi

Que ces cinq cent mille chatouilles
De petons vous caracolant
À même les jambes, les couilles
Le ventre, la queue et le gland !

Les chants se taisent et les danses
Cessent. Aussitôt les fessiers
De mettre au pas leurs charmes denses.
Ô ciel ! l'un d'entre eux, tu t'assieds

Juste sur ma face, de sorte
Que ma langue entre les deux trous
Divins vague de porte en porte
Au pourchas de riches ragoûts.

Tous les derrières à la file
S'en viennent généreusement
M'apporter, chacun en son style,
Ce vrai banquet d'un vrai gourmand.

Je me réveille, je me touche :
C'est bien moi, le pouls au galop…
La nom de Dieu de fausse couche !
Le nom de Dieu de vrai salop !

XIII

REDDITION

Je suis foutu. Tu m'as vaincu.
Je n'aime plus que ton gros cu
Tant baisé, léché, reniflé,
Et que ton cher con tant branlé,
Piné – car je ne suis pas l'homme
Pour Gomorrhe ni pour Sodome,
Mais pour Paphos et pour Lesbos,
(Et tant gamahuché, ton con)
Converti par tes seins si beaux,
Tes seins lourds que mes mains soupèsent
Afin que mes lèvres les baisent
Et, comme l'on hume un flacon,
Sucent leurs bouts raides puis mous
Ainsi qu'il nous arrive à nous
Avec nos gaules variables.
C'est un plaisir de tous les diables
Que tirer un coup en gamin,
En épicier ou en levrette,
Ou à la Marie-Antoinette
Et cætera jusqu'à demain
Avec toi, despote adorée
Dont la volonté m'est sacrée,
Plaisir infernal qui me tue
Et dans lequel je m'évertue

À satisfaire ta luxure.
Le foutre s'épand de mon vit
Comme le sang d'une blessure…
N'importe ! Tant que mon cœur vit
Et que palpite encor mon être,
Je veux remplir en tout ta loi,
N'ayant, dure maîtresse, en toi
Plus de maîtresse, mais un maître.

XIV

RÉGALS

Croise tes cuisses sur ma tête
De façon à ce que ma langue,
Taisant toute sotte harangue,
Ne puisse plus que faire fête
À ton con ainsi qu'à ton cu
Dont je suis là jamais vaincu
Comme de tout ton corps, du reste,
Et de ton âme mal céleste
Et de ton esprit carnassier
Qui dévore en moi l'idéal
Et m'a fait le plus putassier
Du plus pur, du plus lilial
Que j'étais avant ta rencontre
Depuis des ans et puis des ans.
Là, dispose-toi bien et montre
Par quelques gestes complaisants

Qu'au fond t'aimes ton vieux bonhomme
Ou du moins le souffre faisant
Minette (avec boule de gomme)
Et feuille de rose, tout comme
Un plus jeune mieux séduisant
Sans doute mais moins bath en somme
Quant à la science et au faire.
Ô ton con ! qu'il sent bon ! J'y fouille
Tant de la gueule que du blaire
Et j'y fais le diable et j'y flaire
Et j'y farfouille et j'y bafouille
Et j'y renifle et oh ! j'y bave
Dans ton con à l'odeur cochonne
Que surplombe une motte flave
Et qu'un duvet roux environne
Qui mène au trou miraculeux
Où je farfouille, où je bafouille
Où je renifle et où je bave
Avec le soin méticuleux
Et l'âpre ferveur d'un esclave
Affranchi de tout préjugé.
La raie adorable que j'ai
Léchée *amoroso* depuis
Les reins en passant par le puits
Où je m'attarde en un long stage
Pour les dévotions d'usage
Me conduit tout droit à la fente
Triomphante de mon infante.
Là, je dis un salamalec
Absolument ésotérique

Au clitoris rien moins que sec,
Si bien que ma tête d'en bas
Qu'exaspèrent tous ces ébats
S'épanche en blanche rhétorique,
Mais s'apaise dès ces prémisses.
Et je m'endors entre tes cuisses
Qu'à travers tout cet émoi tendre
La fatigue t'a fait détendre.

XV

GAMINERIES

Depuis que ce m'est plus commode
De baiser en gamin, j'adore
Cette manière et l'aime encore
Plus quand j'applique la méthode

Qui consiste à mettre mes mains
Bien fort sur ton bon gros cul frais,
Chatouille un peu conçue exprès
Pour mieux entrer dans tes chemins.

Alors ma queue est en ribote
De ce con qui, de fait, la baise,
Et de ce ventre qui lui pèse
D'un poids salop – et ça clapote,

Et les tétons de déborder
De la chemise lentement
Et de danser indolemment
Et mes yeux de comme bander,

Tandis que les tiens, d'une vache,
Tels ceux-là des Junons antiques,
Leur fichent des regards obliques,
Profonds comme des coups de hache,

Si que je suis magnétisé
Et que mon cabochon d'en bas,
Non toutefois sans quels combats !
Se rend tout à fait médusé,

Et je jouis et je décharge
Dans ce vrai cauchemar de viande
À la fois friande et gourmande
Et tour à tour étroite et large,

Et qui remonte et redescend
Et rebondit sur mes roustons
En sauts où mon vit à tâtons
Pris d'un vertige incandescent

Parmi des foutres et des mouilles
Meurt, puis revit, puis meurt encore,
Revit, remeurt, revit encore
Par tout ce foutre et que de mouille !

Cependant que mes doigts, non sans
Te faire un tas de postillons,
Légers comme des papillons
Mais profondément caressants

Et que mes paumes de tes fesses
Froides modérément tout juste
Remontent *lento* vers le buste
Tiède sous leurs chaudes caresses.

XVI

HOMMAGE DÛ

Je suis couché tout de mon long sur son lit frais :
Il fait grand jour ; c'est plus cochon, plus fait exprès,
Par le prolongement dans la lumière crue
De la fête nocturne immensément accrue
Pour la persévérance et la rage du cu
Et ce soin de se faire soi-même cocu.
Elle est à poils et s'accroupit sur mon visage
Pour se faire gamahucher, car je fus sage
Hier et c'est — bonne, elle, au-delà du penser ! —
Sa royale façon de me récompenser.
Je dis royale, je devrais dire divine :
Ces fesses, chair sublime, alme peau, pulpe fine,
Galbe puissamment pur, blanc, riche, aux stris d'azur,
Cette raie au parfum bandatif, rose-obscur
Lente, grasse, et le puits d'amour, que dire sur !

Régal final, dessert du con bouffé, délire
De ma langue harpant les plis comme une lyre !
Et ces fesses encor, telle une lune en deux
Quartiers, mystérieuse et joyeuse, où je veux
Dorénavant nicher mes rêves de poète
Et mon cœur de tendeur et mes rêves d'esthète !
Et, maîtresse, ou mieux, maître en silence obéi
Elle trône sur moi, caudataire ébloui.

MORALE EN RACCOURCI

Une tête de blonde et de grâce pâmée,
Sous un cou roucouleur de beaux tétons bandants,
Et leur médaillon sombre à la mamme enflammée,
Ce buste assis sur des coussins bas, cependant
Qu'entre deux jambes très vibrantes très en l'air
Une femme à genoux vers quels soins occupée,
Amour le sait – ne montre aux dieux que l'épopée
Candide de son cul splendide, miroir clair
De la Beauté qui veut s'y voir afin d'y croire.
Cul féminin, vainqueur serein du cul viril,
Fût-il éphébéen, et fût-il puéril
Cul féminin, culs sur tous culs, los, culte et gloire !

Hombres

I

Ô ne blasphème pas, poète, et souviens-toi.
Certes la femme est bien, elle vaut qu'on la baise,
Son cul lui fait honneur, encor qu'un brin obèse
Et je l'ai savouré maintes fois, quant à moi.

Ce cul (et les tétons) quel nid à nos caresses !
Je l'embrasse à genoux et lèche son pertuis
Tandis que mes doigts vont, fouillant dans l'autre puits
Et les beaux seins, combien cochonnes leurs paresses !

Et puis, il sert, ce cul, encor, surtout au lit
Comme adjuvant aux fins de coussins, de sous-ventre,
De ressort à boudin du vrai ventre pour qu'entre
Plus avant l'homme dans la femme qu'il élit,

J'y délasse mes mains, mes bras aussi, mes jambes,
Mes pieds. Tant de fraîcheur, d'élastique rondeur
M'en font un reposoir désirable où, rôdeur,
Par instant le désir sautille en vœux ingambes.

Mais comparer le cul de l'homme à ce bon cu
À ce gros cul moins voluptueux que pratique
Le cul de l'homme fleur de joie et d'esthétique
Surtout l'en proclamer le serf et le vaincu,

« C'est mal », a dit l'amour. Et la voix de l'Histoire.
Cul de l'homme, honneur pur de l'Hellade et décor
Divin de Rome vraie et plus divin encor,
De Sodome morte, martyre pour sa gloire,

Shakespeare, abandonnant du coup Ophélia,
Cordélia, Desdémona, tout son beau sexe
Chantait en vers magnificents qu'un sot s'en vexe
La forme masculine et son alléluia.

Les Valois étaient fous du mâle et dans notre ère
L'Europe embourgeoisée et féminine tant
Néanmoins admira ce Louis de Bavière,
Le roi vierge au grand cœur pour l'homme seul battant.

La Chair, même, la chair de la femme proclame
Le cul, le vit, le torse et l'œil du fier Puceau,
Et c'est pourquoi, d'après le conseil à Rousseau,
Il faut parfois, poète, un peu « quitter la dame ».

II

MILLE ET TRE

Mes amants n'appartiennent pas aux classes riches
Ce sont des ouvriers faubouriens ou ruraux
Leurs quinze et leurs vingt ans sans apprêts sont
                                        [mal chiches
De force assez brutale et de procédés gros.

Je les goûte en habits de travail, cotte et veste ;
Ils ne sentent pas l'ambre et fleurent de santé
Pure et simple ; leur marche un peu lourde, va preste
Pourtant, car jeune, et grave en l'élasticité ;

Leurs yeux francs et matois crépitent de malice
Cordiale et des mots naïvement rusés
Partent non sans un gai juron qui les épice
De leur bouche bien fraîche aux solides baisers ;

Leur pine vigoureuse et leurs fesses joyeuses
Réjouissent la nuit et ma queue et mon cu ;
Sous la lampe et le petit jour, leurs chairs joyeuses
Ressuscitent mon désir las, jamais vaincu.

Cuisses, âmes, mains, tout mon être pêle-mêle,
Mémoire, pieds, cœur, dos et l'oreille et le nez
Et la fressure, tout gueule une ritournelle,
Et trépigne un chahut dans leurs bras forcenés.

43

Un chahut, une ritournelle fol et folle
Et plutôt divins qu'infernals, plus infernals
Que divins, à m'y perdre, et j'y nage et j'y vole,
Dans leur sueur et leur haleine, dans ces bals.

Mes deux Charles, l'un jeune tigre aux yeux de chattes
Sorte d'enfant de chœur grandissant en soudard,
L'autre, fier gaillard, bel effronté que n'épate
Que ma pente vertigineuse vers son dard.

Odilon, un gamin, mais monté comme un homme
Ses pieds aiment les miens épris de ses orteils
Mieux encore mais pas plus que son reste en somme
Adorable drûment, mais ses pieds sans pareils !

Caresseurs, satin frais, délicates phalanges
Sous les plantes, autour des chevilles, et sur
La cambrure veineuse et ces baisers étranges
Si doux, de quatre pieds, ayant une âme, sûr !

Antoine, encor, proverbial quant à la queue,
Lui, mon roi triomphal et mon suprême Dieu,
Taraudant tout mon cœur de sa prunelle bleue
Et tout mon cul de son épouvantable épieu.

Paul, un athlète blond aux pectoraux superbes
Poitrine blanche, aux durs boutons sucés ainsi
Que le bon bout ; François, souple comme des gerbes
Ses jambes de danseur, et beau, son chibre aussi !

Auguste qui se fait de jour en jour plus mâle
(Il était bien joli quand ça nous arriva)
Jules, un peu putain avec sa beauté pâle.
Henri, me va en leurs conscrits qui, las ! s'en va ;

Et vous tous ! à la file ou confondus en bande
Ou seuls, vision si nette des jours passés,
Passions du présent, futur qui croît et bande
Chéris sans nombre qui n'êtes jamais assez !

III

BALANIDE

C'est un plus petit cœur
Avec la pointe en l'air ;
Symbole doux et fier
C'est un plus tendre cœur.

Il verse ah ! que de pleurs
Corrosifs plus que feu
Prolongés mieux qu'adieu,
Blancs comme blanches fleurs !

Vêtu de violet,
Fait beau le voir yssir,
Mais à tout le plaisir
Qu'il donne quand lui plaît !

Comme un évêque au chœur
Il est plein d'onction
Sa bénédiction
Va de l'autel au chœur.

Il ne met que du soir
Au réveil auroral
Son anneau pastoral
D'améthyste et d'or noir.

Puis le rite accompli,
Déchargé congrûment,
De ramener dûment
Son capuce joli.

IV

BALANIDE

Gland, point suprême de l'être
De mon maître,
De mon amant adoré
Qu'accueille avec joie et crainte,
Ton étreinte
Mon heureux cul, perforé

Tant et tant par ce gros membre
Qui se cambre,
Se gonfle et, tout glorieux

De ses hauts faits et prouesses,
Dans les fesses
Fonce en élans furieux. —

Nourricier de ma fressure,
Source sûre
Où ma bouche aussi suça,
Gland, ma grande friandise,
Quoi qu'en dise
Quelque fausse honte, or, çà,

Gland, mes délices, viens, dresse
Ta caresse
De chaud satin violet
Qui dans ma main se harnache
En panache
Soudain d'opale et de lait.

Ce n'est que pour une douce
Sur le pouce
Que je t'invoque aujourd'hui
Mais quoi ton ardeur se fâche...
Ô moi lâche !
Va, tout à toi, tout à lui,

Ton caprice, règle unique.
Je rapplique
Pour la bouche et pour le cu
Les voici tout prêts, en selle,
D'humeur telle
Qui te faut, maître invaincu.

Puis, gland, nectar et dictame
De mon âme,
Rentre en ton prépuce, lent
Comme un dieu dans son nuage,
Mon hommage
T'y suit, fidèle – et galant.

V

SUR UNE STATUE

Eh quoi ! dans cette ville d'eaux,
Trêve, repos, paix, intermède
Encor toi de face ou de dos ;
Beau petit ami : Ganymède !

L'aigle t'emporte, on dirait comme
À regret de parmi des fleurs
Son aile d'élans économe
Semble te vouloir par ailleurs

Que chez ce Jupin tyrannique
Comme qui dirait au Revard
Et son œil qui nous fait la nique
Te coule un drôle de regard.

Bah, reste avec nous, bon garçon,
Notre ennui, viens donc le distraire
Un peu, de la bonne façon,
N'es-tu pas notre petit frère ?

(Aix-les-Bains, 1889)

VI

RENDEZ-VOUS

Dans la chambre encore fatale
De l'encor fatale maison
Où la raison et la morale
Se tiennent plus que de raison,

Il semble attendre la venue
À quoi, misère, il ne croit pas
De quelque présence connue
Et murmure entre haut et bas :

« Ta voix claironne dans mon âme
Et tes yeux flambent dans mon cœur.
Le Monde dit que c'est infâme
Mais que me fait, ô mon vainqueur ?

J'ai la tristesse et j'ai la joie
Et j'ai l'amour encore un coup,
L'amour ricaneur qui larmoie,
Ô toi beau comme un petit loup !

Tu vins à moi gamin farouche
C'est toi, joliesse et bagout
Rusé du corps et de la bouche
Qui me violente dans tout

Mon scrupule envers ton extrême
Jeunesse et ton enfance mal
Encore débrouillée et même
Presque dans tout mon animal

Deux, trois ans sont passés à peine
Suffisants pour viriliser
Ta fleur d'alors et ton haleine
Encore prompte à s'épuiser

Quel rude gaillard tu dois être
Et que les instants seraient bons
Si tu pouvais venir ! Mais, traître,
Tu promets, tu dis : J'en réponds,

Tu jures le ciel et la terre,
Puis tu rates les rendez-vous…
Ah ! cette fois, viens ! Obtempère
À mes désirs qui tournent fous.

Je t'attends comme le Messie,
Arrive, tombe dans mes bras ;
Une rare fête choisie
Te guette, arrive, tu verras ! »

Du phosphore en ses yeux s'allume
Et sa lèvre au souris pervers
S'agace aux barbes de la plume
Qu'il tient pour écrire ces vers…

VII

Monte sur moi comme une femme
Que je baiserais en gamin
Là. C'est cela. T'es à ta main ?
Tandis que mon vit t'entre, lame

Dans du beurre, du moins ainsi
Je puis te baiser sur la bouche,
Te faire une langue farouche
Et cochonne, et si douce, aussi !

Je vois tes yeux auxquels je plonge
Les miens jusqu'au fond de ton cœur
D'où mon désir revient vainqueur
Dans une luxure de songe.

Je caresse le dos nerveux,
Les flancs ardents et frais, la nuque,
La double mignonne perruque
Des aisselles, et les cheveux !

Ton cul à cheval sur mes cuisses
Les pénètre de son doux poids
Pendant que s'ébat mon lourdois
Aux fins que tu te réjouisses,

Et tu te réjouis, petit,
Car voici que ta belle gourle

Jalouse aussi d'avoir son rôle,
Vite, vite, gonfle, grandit,

Raidit… Ciel ! la goutte, la perle
Avant-courrière vient briller
Au méat rose : l'avaler,
Moi, je le dois, puisque déferle

Le mien de flux, or c'est mon lot
De faire tôt d'avoir aux lèvres
Ton gland chéri tout lourd de fièvres
Qu'il décharge en un royal flot.

Lait suprême, divin phosphore
Sentant bon la fleur d'amandier,
Où vient l'âpre soif mendier,
La soif de toi qui me dévore

Mais il va, riche et généreux,
Le don de ton adolescence,
Communiant de ton essence,
Tout mon être ivre d'être heureux.

VIII

Un peu de merde et de fromage
Ne sont pas pour effaroucher
Mon nez, ma bouche et mon courage
Dans l'amour de gamahucher.

L'odeur m'est assez gaie en somme,
Du trou du cul de mes amants,
Aigre et fraîche comme la pomme
Dans la moiteur de saints ferments.

Et ma langue que rien ne dompte
Par la douceur des longs poils roux
Raide et folle de bonne honte
Assouvit là ses plus forts goûts,

Puis pourléchant le périnée
Et les couilles d'un mode lent,
Au long du chibre contournée
S'arrête à la base du gland.

Elle y puise âprement en quête
Du nanan qu'elle mourrait pour
Sive, la crème de quéquette
Caillée aux éclisses d'amour

Ensuite, après la politesse
Traditionnelle au méat
Rentre dans la bouche où s'empresse
De la suivre le vit béat,

Débordant de foutre qu'avale
Ce moi confit en onction
Parmi l'extase sans rivale
De cette bénédiction !

IX

Il est mauvais coucheur et ce m'est une joie
De le bien sentir, lorsqu'il est la fière proie
Et le fort commensal du meilleur des sommeils
Sans fausses couches – nul besoin ? et sans réveils,
Si près, si près de moi que je crois qu'il me baise,
En quelque sorte, avec son gros vit que je sens
Dans mes cuisses et sur mon ventre frémissants
Si nous nous trouvons face à face, et s'il se tourne
De l'autre côté, tel qu'un bon pain qu'on enfourne
Son cul délicieusement rêveur ou non
Soudain, mutin, malin, hutin, putain, son nom
De Dieu de cul, d'ailleurs choyé, m'entre en le ventre,
                                            [chantre
Provocateur et me rend bandeur comme un diantre,
Ou si je lui tourne semble vouloir
M'enculer ou, si dos à dos, son nonchaloir
Brutal et gentil colle à mes fesses ses fesses
Et mon vit de bonheur, tu mouilles, puis t'affaisses
Et rebande et remouille, – infini dans cet us.

Heureux moi ? *Totus in benigno positus.*

X

Autant certes la femme gagne
À faire l'amour en chemise,
Autant alors cette compagne
Est-elle seulement de mise

À la condition expresse
D'un voile, court, délinéant
Cuisse et mollet, téton et fesse
Et leur truc un peu trop géant.

Ne s'écartant de sorte nette,
Qu'en faveur du con, seul divin,
Pour le coup et pour la minette,
Et tout le reste, en elle est vain

À bien considérer les choses,
Ce manque de proportions,
Ces effets trop blancs et trop roses…
Faudrait que nous en convinssions,

Autant le jeune homme profite
Dans l'intérêt de sa beauté,
Prêtre d'Éros ou néophyte
D'aimer en toute nudité.

Admirons cette chair splendide,
Comme intelligente, vibrant,

Intrépide et comme timide
Et, par un privilège grand

Sur toute chair, la féminine
Et la bestiale – vrai beau ! –
Cette grâce qui fascine
D'être multiple sous la peau

Jeu des muscles et du squelette,
Pulpe ferme, souple tissu,
Elle interprète, elle complète
Tout sentiment soudain conçu.

Elle se bande en la colère,
Et raide et molle tour à tour,
Souci de se plaire et de plaire,
Se tend et détend dans l'amour.

Et quand la mort la frappera
Cette chair qui me fut un dieu,
Comme auguste, elle fixera
Ses éléments, en marbre bleu !

XI

Même quand tu ne bandes pas
Ta queue encor fait mes délices
Qui pend, blanc d'or entre tes cuisses
Sur tes roustons, sombres appas.

– Couilles de mon amant, sœurs fières
À la riche peau de chagrin
D'un brun et rose et purpurin
Couilles farceuses et guerrières,

Et dont la gauche balle un peu,
Tout petit peu plus que l'autre
D'un air roublard et bon apôtre
À quelles donc fins, nom de Dieu ?

Elle est dodue, ta quéquette
Et veloutée, du pubis
Au prépuce fermant le pis,
Aux trois quarts d'une rose crête.

Elle se renfle un brin au bout
Et dessine sous la peau douce
Le gland gros comme un demi-pouce
Montrant ses lèvres justes au bout.

Après que je l'aurai baisée
En tout amour reconnaissant
Laisse ma main la caressant
La saisir d'une prise osée,

Pour soudain la décalotter,
En sorte que, violet tendre,
Le gland joyeux, sans plus attendre
Splendidement vient éclater ;

Et puis elle, en bonne bougresse
Accélère le mouvement
Et Jean-nu-tête en un moment
De se remettre à la redresse.

Tu bandes ! c'est ce que voulaient

Ma bouche et mon { cul !

                    choisis, maître,

                   con

Une simple douce, peut-être ?
C'est ce que mes dix doigts voulaient.

Cependant le vit, mon idole,
Tend pour le rite et pour le cul –
Te, à mes mains, ma bouche et mon cul
Sa forme adorable d'idole.

XII

Dans ce café bondé d'imbéciles, nous deux
Seuls nous représentions le soi-disant hideux
Vice d'être « pour homme » et sans qu'ils s'en
                                   [doutassent
Nous encagnions ces cons avec leur air bonasse,
Leurs normales amours et leur morale en toc,
Cependant que, branlés et de taille et d'estoc,
À tire-larigot, à gogo, par principes
Toutefois, voilés par les flocons de nos pipes,
(Comme autrefois Héro copulait avec Zeus),

Nos vits tels que des nez joyeux et Karrogheus
Qu'eussent mouchés nos mains d'un geste délectable,
Éternuaient des jets de foutre sous la table.

XIII

DIZAIN INGÉNU

Ô souvenir d'enfance et le lait nourricier
Et ô l'adolescence et son essor princier !
Quand j'étais tout petit garçon j'avais coutume
Pour évoquer la Femme et bercer l'amertume
De n'avoir qu'une queue imperceptible bout
Dérisoire, prépuce immense sous quoi bout
Tout le sperme à venir, ô terreur sébacée,
De me branler avec cette bonne pensée
D'une bonne d'enfant à motte de velours.

Depuis je décalotte et me branle toujours !

XIV

Ô mes amants,
Simples natures,
Mais quels tempéraments !
Consolez-moi de ces mésaventures
Reposez-moi de ces littératures,
Toi, gosse pantinois, branlons-nous en argot,
Vous, gas des champs, patoisez-moi l'écot,

Des pines au cul et des plumes qu'on taille,
　　　Livrons-nous dans les bois touffus
　　　　　La grande bataille
　　　　　Des baisers confus.
Vous, rupins, faisons-nous des langues en artistes
　　　　　Et merde aux discours tristes,
　　　　　Des pédants et des cons,
　　　　　(Par cons, j'entends les imbéciles,
　　　　　Car les autres cons sont de mise
　　　　　Même pour nous, les difficiles,
Les spéciaux, les servants de la bonne Église
　　　　　Dont le pape serait Platon
　　　　　Et Socrate un protonotaire
Une femme par-ci, par-là, c'est de bon ton
Et les concessions n'ont jamais rien perdu
Puis, comme dit l'autre, à chacun son dû
Et les femmes ont, mon dieu, droit à notre gloire
　　　　　Soyons-leur doux,
　　　　　Entre deux coups
　　　　　Puis revenons à notre affaire).
Ô mes enfants bien aimés, vengez-moi
　　　　　Par vos caresses sérieuses
Et vos culs et vos nœuds régals vraiment de roi,
　　　　　De toutes ces viandes creuses
Qu'offre la rhétorique aux cervelles breneuses
De ces tristes copains qui ne savent pourquoi.
　　　　　Ne métaphorons pas, foutons
　　　　　Pelotons-nous bien les roustons
　　　　　Rinçons nos glands, faisons ripailles
Et de foutre et de merde et de fesses et de cuisses.

LE SONNET DU TROU DU CUL
par Arthur Rimbaud et Paul Verlaine

En forme de parodie d'un volume d'Albert Mérat intitulé *L'Idole*, où sont détaillées toutes les beautés d'une dame : sonnet du front, sonnet des yeux, sonnet des fesses, sonnet du... dernier sonnet.

PAUL
VERLAINE

Obscur et froncé comme un œil et violet
Il respire, humblement tapi parmi la mousse
Humide encor d'amour qui suit la pente douce
Des fesses blanches jusqu'au bord de son ourlet.

Fecit

Des filaments pareils à des larmes de lait
Ont pleuré, sous l'autan cruel qui les repousse,
À travers de petits caillots de marne rousse,
Pour s'en aller où la pente les appelait.

ARTHUR
RIMBAUD

Ma bouche s'accouple souvent à sa ventouse
Mon âme, du coït matériel jalouse,
En fit son larmier fauve et son nid de sanglots

Invenit

C'est l'olive pâmée et la flûte câline
C'est le tube où descend la céleste praline
Chanaan féminin dans les moiteurs éclos.

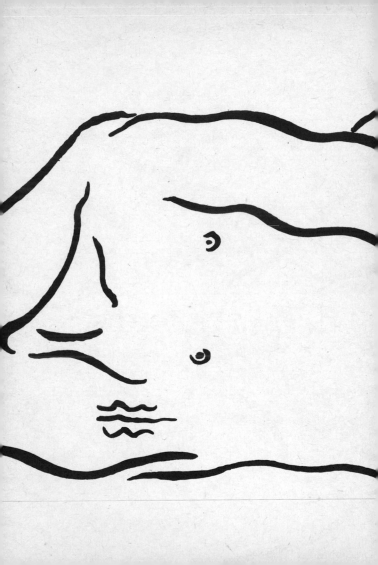

L'art de se perdre

« Je suis décidé à ne plus être timide.
En rien. »

Verlaine, *Journal*, janvier 1886

« Heureux, moi ? Les femmes que j'ai aimées m'ont
trompé avec des hommes et les hommes que j'ai aimés
m'ont trompé avec des femmes. » Triste bilan que
dresse Verlaine dans son journal à la date du 20 avril
1893, l'année même où il est candidat à l'Académie
française.

Trahi, Verlaine ? Certes, il s'est souvent choisi de
drôles de compagnons et de bien curieuses compagnes :
amants brutaux et maîtresses âpres au gain. Mais n'a-
t-il pas lui-même abandonné, menti, trahi… N'a-t-il
pas même tenté de tuer sa femme, sa mère, son fils et
son amant-ami Rimbaud ?

Une chose est sûre : toute sa vie Verlaine a hésité entre les femmes et les hommes, la respectabilité et la débauche, le bien et le mal...

Dès l'âge de quatorze ans, il compose des vers. Il est rapidement attiré par des garçons plus jeunes que lui et fréquente les prostituées. Il s'adonne bientôt à la boisson jusqu'à l'emportement. Et il est jeune encore lorsque, jouant au mari et au père attentionné, il étanche dans une vie parallèle sa soif d'avilissement et de destruction. Verlaine fuit la réalité, se réfugie dans la poésie et commence une longue descente aux enfers.

Dès 1867, ses vers se vendent sous le manteau : à vingt-trois ans, il publie six sonnets sous le pseudonyme de Pablo Maria de Herlanes, *Les Amies, Scènes d'amour sapphique*, tirés à cinquante exemplaires.

Sans conteste, érotisme et pornographie l'attirent. Ils ponctuent d'ailleurs son œuvre et sa vie : en témoignent la lettre scatologique illustrée de dessins obscènes adressée en 1871 à Charles de Sivry, son beau-frère, ainsi que son appartenance au Cercle des Zutiques fondé par Charles Cros. Là, on ose dire « Zut ! » aux conventions, on improvise des calembours scabreux et des vers irrespectueux, et on s'oublie dans l'alcool.

Fin 1891, Verlaine publie *Chansons pour elle*, recueil comprenant entre autres des poèmes érotiques, odes au corps d'une de ses maîtresses : « Sous ma main le précieux/Trésor de sa croupe frémit », « Je te baisais à bouche pleine/Un peu partout, mont, val ou plaine. »

Avec *Femmes* et *Hombres*, recueils très peu connus et très rarement édités, Verlaine se risque plus avant dans la poésie pornographique. Il brosse de très galants tableaux, dont certains lui vaudront une réputation « d'élégante luxure ». Voilà bien les seuls textes où il parle de ses amants aussi crûment, et c'est la première fois que les deux sexes se côtoient... tout en s'ignorant. Mais qui sont les héroïnes de *Femmes* ? Et qui sont donc ces *hombres* ?

Le recueil *Femmes* est publié furtivement en 1890, à Bruxelles. À quarante-six ans, Verlaine mène une vie misérable, passant le plus clair de son temps à l'hôpital où il est soigné pour un genou malade... mais surtout nourri et blanchi. En seize poèmes et une « Morale en raccourci », Verlaine chante alors la chair féminine, ses rondeurs – « de frais bras ronds et d'amples hanches » –, ses odeurs – « ces fumets, qu'on tient secrets ». Il n'évoque pas ici les « pures », les femmes qui lui ont tout donné, leur amour et leur confiance, et tout pardonné – comme sa cousine Élisa, son épouse Mathilde ou sa mère, d'une indéfectible fidélité. Non, il célèbre les « impures », les filles qui ont partagé sa couche et sa débauche, Marie Gambier, Philomène Boudin et

Eugénie Krantz – ses deux dernières compagnes se disputeront ses biens jusqu'à sa mort…

Composé et mis au point en 1891, l'année de la mort de Rimbaud, mais publié clandestinement en 1903 seulement, le recueil *Hombres* compte quatorze poèmes, vibrants hommages au cul – « fleur de joie et d'esthétique » – et au vit des jeunes gens – « mon idole ». Et si Verlaine une fois encore choisit la langue espagnole pour intituler son recueil, peut-être est-ce parce que le mot *hombres* lui paraît plus chargé de mystère et de virilité, plus approprié pour évoquer avec admiration ses jeunes amants, « des ouvriers faubouriens ou ruraux ».

Parmi ses rencontres, trois hommes ont subjugué Verlaine : le poète Arthur Rimbaud, le jeune Lucien Létinois et le peintre Frédéric-Auguste Cazals. Trois passions, trois déceptions, trois douleurs – aussi différentes que profondes. Avec Lucien Létinois, Verlaine tentera de maintenir une relation de maître à élève, que refuse le jeune homme au fil du temps. Cazals, lui, ne répondra jamais aux ardeurs de Verlaine. Seul Rimbaud aura marqué Verlaine au fer rouge, dans sa vie comme dans son art.

« Rimbe » et le « pauvre Lélian » – anagramme de ses nom et prénom dont Verlaine aime à s'affubler – ont composé ensemble le dernier poème de ce recueil, « Le Sonnet du trou du cul ». Quoi de plus révélateur de l'ambiguïté de leur relation que ce sonnet écrit à quatre mains : « la Vierge folle » et « l'Époux infernal » y expriment leur amour des fesses, mais l'un après l'autre, côte à côte mais séparés.

Dans *Femmes* comme dans *Hombres*, Verlaine ne dissimule vraiment plus. Il l'avoue en 1888 au peintre et graveur Félicien Rops, dont le trait est souvent empreint d'érotisme : « Vous y trouverez je pense ce que j'ai voulu y mettre, un homme qui est moi parfois – tout rond, tout franc dans son vice, si l'on veut – tellement c'est sincère, et comme gentil à force d'être sincère, sans surtout nul sadisme. »

L'autre Verlaine, le méconnu, est bien là, dans ces recueils que l'édition parfois a omis de compter dans son œuvre. Oubliés la conversion et les élans mystiques, l'homme s'expose sombre, profane, impudique, débauché, immoral, pornographique, mais surtout indécis. Hommes et femmes le troublent également. Ils incarnent une forme de la Beauté que le poète toujours a voulu célébrer, lui si laid avec sa calvitie, son front démesurément bombé, ses yeux obliques et son nez camard. Verlaine dit enfin son attirance pour les deux sexes et pour le vice, son goût violent des amours sordides et brutales. Toutes les exigences du corps lui sont sacrées, et nulle précision ne le rebute ni ne l'effraie. Qu'on est loin de « Mon rêve familier » ou des élans religieux de *Sagesse* !

Verlaine sait-il seulement lui-même qui il est vraiment ? Un vers du poème XI de *Hombres* exprime son éternelle incertitude :

$$\text{« Ma bouche et mon} \begin{cases} \text{cul !} \\ \text{con} \end{cases} \text{choisis, maître »}$$

Toujours il demande à être dominé. Que ce soit avec les putains vénales et acharnées ou avec ses jeunes amants rudes et résolus, Verlaine se montre faible et veule. Sans doute trouve-t-il une grande part de son plaisir dans la soumission, voire dans l'humiliation.

Et toujours prompt à la dérobade, Verlaine confie à Cazals en 1889 : « Mes chutes sont dues à quoi ? Accuserai-je mon sang, mon éducation ? Mais j'étais bon, chaste (…) Ah ! la boisson qui a développé l'acare, le bacille, le microbe de la Luxure à ce point en ma chair faite pour la norme et la règle (…). Je suis un féminin – ce qui expliquerait bien des choses. »

Sept ans plus tard, Cazals dessinera Verlaine sur son lit de mort. Le poète est enfin délivré de ses interrogations et de ses atermoiements… de son doute.

LAURENCE FEY ET CHLOÉ RADIGUET

Vie de
Paul Verlaine

30 mars 1844. Naissance de Paul-Marie Verlaine à Metz.

1845-1850. La carrière militaire du capitaine Verlaine, père du futur poète, oblige la famille à déménager fréquemment, pour Montpellier, Sètes, Nîmes, puis Metz de nouveau.

1851. Démission du capitaine Verlaine. La famille s'installe à Paris.

1853-1862. Études à l'institution Landry et au lycée Bonaparte (Condorcet).

1854. Naissance d'Arthur Rimbaud.

1858. Verlaine envoie un poème, *La Mort*, à Victor Hugo.

1862. Inscrit à la faculté de Droit, Verlaine devient un habitué des cafés de la rue Soufflot et commence à boire.

1863. Dans le salon de la générale-marquise de Ricard, milieu libéral et parnassien, il rencontre de Banville, Villiers de L'Isle-Adam, etc. Première publication : le sonnet « Monsieur Prudhomme » paraît, sous pseudonyme, dans la *Revue du progrès moral* de L.-X. de Ricard.

1864. Renonçant à sa carrière juridique, il est employé dans une compagnie d'assurances, puis expéditionnaire dans les bureaux de la Ville de Paris. Il lit beaucoup, en particulier Sainte-Beuve et Catulle Mendès dont il fait la connaissance.

1865-1866. Mort de son père. Parution d'une étude sur Baudelaire dans la revue *Art*, de plusieurs poèmes dans la revue *Le Parnasse contemporain*, et des *Poèmes saturniens* chez Alphonse Lemerre, avec l'aide financière de sa cousine Élisa dont il est très proche. L'œuvre est remarquée par les critiques.

1867. Mort de sa cousine. Verlaine rend visite à Victor Hugo à Bruxelles. Poulet-Malassis fait paraître clandestinement, à Bruxelles, *Les Amies*, *scènes d'amour sapphique*, sous pseudonyme. Le recueil sera condamné à la destruction par le tribunal de Lille.

1869. Sous les effets de l'alcool, Verlaine tente par deux fois de tuer sa mère. Il rencontre Mathilde Mauté de Fleurville. Lettre de Victor Hugo lors de la parution des *Fêtes galantes*.

1870. Parution de *La Bonne Chanson*, éclipsée par la guerre franco-allemande. Mariage avec Mathilde Mauté. Pendant le siège de Paris, Verlaine, pro-républicain, s'engage dans la Garde nationale où il retrouve ses habitudes de buveur.

1871. Rallié à la Commune, il devient chef du bureau de la Presse ; après la victoire de Thiers, il doit se cacher un temps à la campagne. Il ne réintégrera jamais l'administration. Le couple s'installe chez les parents de Mathilde, rue Nicolet. Après un échange épistolaire, Rimbaud arrive à Paris où commence leur liaison. Naissance du petit Georges.

1872. Les brutalités de son mari poussent Mathilde à demander le divorce. En juillet, brusque départ de Verlaine avec Rimbaud pour la Belgique puis pour Londres. Début de leurs disputes.

1873. Voyages à Londres, marqué par les problèmes financiers et les mésententes croissantes. À la suite d'une querelle, Verlaine repart en Belgique, où le rejoignent sa mère puis Rimbaud. Lors d'une nouvelle dispute, Verlaine blesse son ami d'un coup de revolver. Il est arrêté et condamné à deux ans de prison. Son incarcération lui inspire plusieurs poèmes du futur recueil *Sagesse*.

1874. Parution des *Romances sans paroles*, imprimées par son ami Lepelletier. Mathilde obtient la séparation de corps et la garde de Georges : à cette nouvelle, Verlaine se convertit à la religion chrétienne.

1875. Sorti de prison, il tente en vain de se rapprocher de Mathilde, puis de Rimbaud avec lequel il se bat violemment. Il devient professeur à Stickney.

1876-1879. Professeur à Bournemouth puis à Rethel, où il s'attache à l'un de ses élèves, Lucien Létinois. Évincé de Rethel, il séjourne en Angleterre avec son jeune protégé, avant de revenir en France.

1880. Achat d'une ferme pour Létinois, près de Rethel. Parution de *Sagesse* à compte d'auteur.

1882. Échec de l'expérience agricole et vente de la ferme. De retour à Paris, Verlaine tente une seconde vie littéraire et renoue avec ses anciens amis. Parution de *L'Art poétique* conçu en prison.

1883. Mort de Létinois atteint de typhoïde. Parution du poème « Langueur », qui inspirera l'École décadente. En septembre, Verlaine s'installe avec sa mère à Coulommes, où il mène une existence de débauche.

1884-1885. Parution des *Poètes maudits* et de *Jadis et naguère*. Mathilde obtient le divorce définitif. Verlaine, retombé dans l'alcool, est emprisonné pour coups et blessures à sa mère. Relâché en mai, il s'installe avec elle dans un modeste hôtel parisien.

1886. Mort de sa mère en janvier. Verlaine, resté très seul, se lie d'une profonde amitié avec le peintre Cazals qui fera plusieurs portraits de lui. Parution de *Louise Leclercq* (nouvelles) et de *Mémoires d'un veuf*.

1887. Séjour de plusieurs mois à l'hôpital. Conception du futur recueil *Bonheur*.

1888. Retour à l'hôtel, où il tient un salon hebdomadaire. Verlaine est alors considéré comme un chef d'école par les Décadistes, avec lesquels pourtant il se brouille progressivement. Parution d'*Amour*.

1889. Parution de *Parallèlement*. Verlaine fait de

Cazals son héritier. Retour au mysticisme.

1890. Parution de *Femmes* (hors commerce, à Bruxelles) et de *Dédicaces*, et réimpression des *Poèmes saturniens*.

1891. Parution de *Bonheur*, de *Choix de poésies*, de *Chansons pour Elle* et de *Mes hôpitaux*. La pièce *Les Uns et les Autres*, publiée dans *Jadis et naguère*, est jouée par la troupe du théâtre d'Art. Verlaine partage sa vie entre deux prostituées, Philomène Boudin et Eugénie Krantz.

1892-1893. Nombreuses parutions : *Chansons grises* avec musique de Reynaldo Hahn, *Liturgies intimes*, *Mes prisons*, *Élégies*. Verlaine donne une série de conférences en Hollande, en Belgique et en Angleterre. Brève candidature à l'Académie française.

1894. Verlaine est élu Prince des Poètes. Barrès et Montesquiou constituent un comité qui assurera un revenu mensuel au poète. La comédie *Madame Aubin* est jouée au café Le Procope. Parution de *Dans les limbes* et d'*Épigrammes*.

1895. Parution de *Confessions*. Préface aux *Poésies complètes* de Rimbaud. Verlaine se met en ménage avec Eugénie Krantz.

1896. En janvier, Verlaine, très malade, fait appeler un prêtre. Il meurt le 8 janvier et est inhumé au cimetière des Batignolles.

Repères bibliographiques

Ouvrages de Paul Verlaine
- *La Bonne Chanson, Jadis et naguère, Parallèlement*, Gallimard, collection Poésie, 1979.
- *Celllulairement*, Le Castor Astral, collection Les Inattendus, 1992.
- *Chansons pour elle*, Gonin, 1984.
- *Charles Baudelaire*, Rumeur des âges, collection Repères, 1993.
- *Choix de poésies (par Verlaine)*, Grasset, collection Les Cahiers rouges, 1991.
- *Histoires comme ça*, suivi de *Les Mémoires d'un veuf*, Safrat, 1991.
- *Œuvres poétiques complètes*, Laffont, collections Bouquins, 1992.
- *Œuvres poétiques complètes* (1962), *Œuvres en prose complètes* (1972), *Album Verlaine* (1981), collection La Pléiade.
- *Poèmes saturniens, Fêtes galantes, Romances sans paroles*, Gallimard, collection Poésie, 1988.
- *Poésies : 1866-1880*, Imprimerie nationale, 1981.
- *Les Poètes maudits*, Le Temps qu'il fait, 1990.
- *Mes prisons*, Mont Analogue, 1992.
- *Sagesse, Amour, Bonheur*, Gallimard, collection Poésie, 1975.

Études sur Paul Verlaine
- COULON (Marcel), *Au cœur de Verlaine et de Rimbaud*, Slatkine, 1983.
- DECAUDIN (Michel), *Verlaine*, Les Poètes maudits, Sedes, 1983.
- DELAY (Ernest), *Verlaine*, 2 vol., Sauret, 1993.
- LEPELLETIER (Edmond), *Paul Verlaine, sa vie, son œuvre*, Slatkine, 1982.
- MONKIEWICZ (Bronislawa), *Verlaine critique littéraire*, Slatkine, 1983.
- MOUROT (Jean), *Verlaine*, Presses universitaires de Nancy, collection Phares, 1988.
- PETITFILS (Pierre), *Verlaine*, Julliard, 1994.
- TROYAT (Henri), *Verlaine*, Flammarion, collection Grandes Biographies, 1993.
- VANNIER (Gilles), *Verlaine ou l'Enfance de l'art*, Champ Vallon, 1993.

Mille et une nuits propose des chefs-d'œuvre pour le temps
d'une attente, d'un voyage, d'une insomnie…

Dans la même collection

**Pour chaque titre, le texte intégral, une postface,
la vie de l'auteur et une bibliographie.**

Achevé d'imprimer en avril 1995,
sur papier recyclé Ricarta-Pigna par G. Canale & C. SpA (Turin)